Bond

10 Minute Tests

8-9 years

Alison Primrose

Non-verbal Reasoning

Nelson Thornes

TEST 1: **Identifying Shapes**

Test time: 0 | | | | | 5 | | | | | 10 minutes

Which is the odd one out?

Example

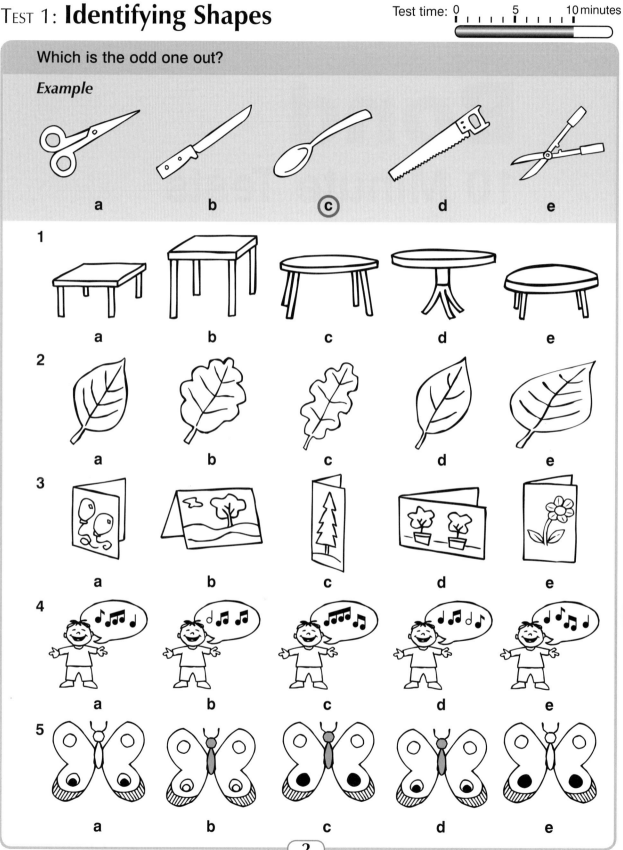

Which picture completes the second pair in the same way as the first pair?

Example

 is to as is to

                   ⓐ   b   c   d   e

---

6 is to as is to

                         a   b   c   d   e

7 is to as is to

                         a   b   c   d   e

8 is to as is to

                         a   b   c   d   e

9 is to as is to

                         a   b   c   d   e

10 is to as is to

                         a   b   c   d   e

Total

TEST 2: **Missing Shapes**

Which one comes next?

Example

a   b   c   d   e

1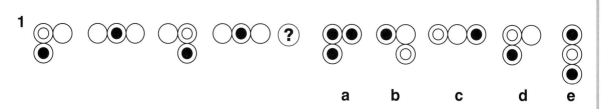

    a   b   c   d   e

2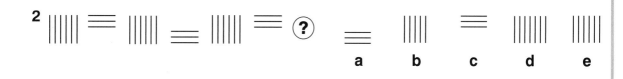

    a   b   c   d   e

3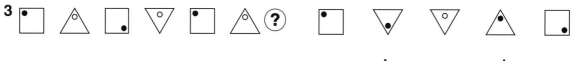

    a   b   c   d   e

4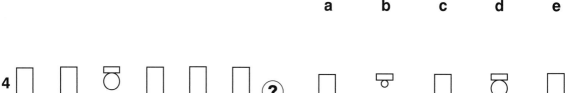

    a   b   c   d   e

5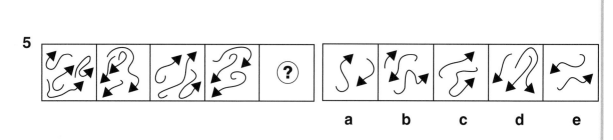

    a   b   c   d   e

Which shape or picture completes the larger square?

Example

a   b   c   d   e

6

a   b   c   d   e

7

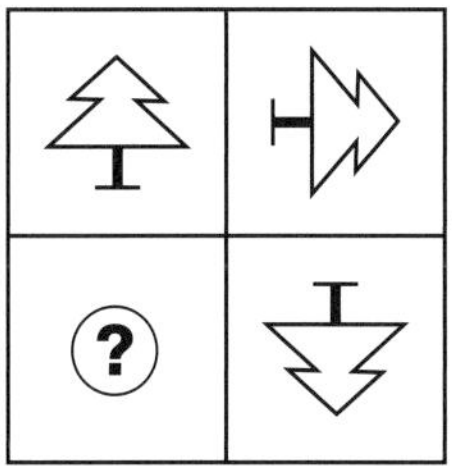

a   b   c   d   e

8

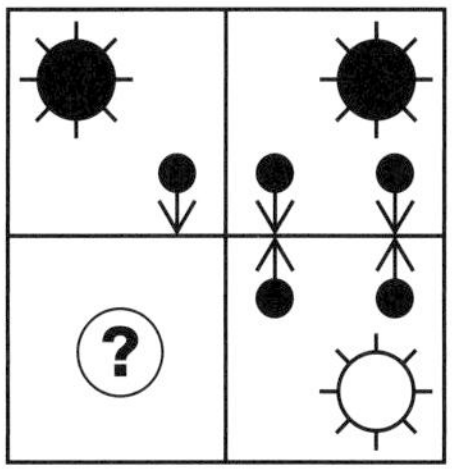

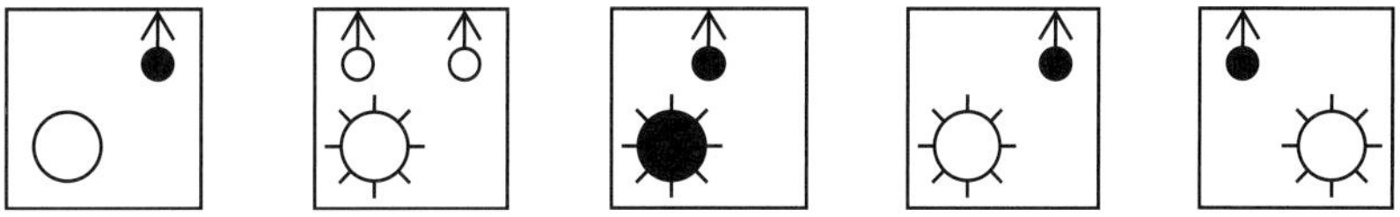

a   b   c   d   e

9

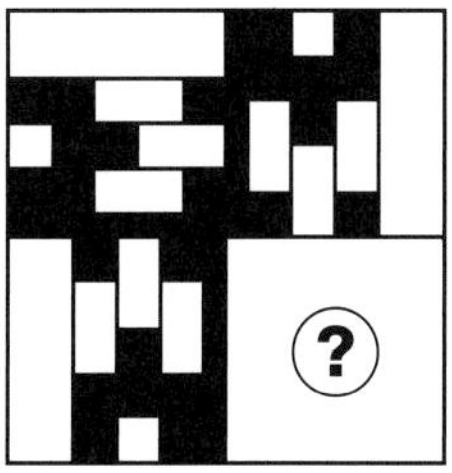

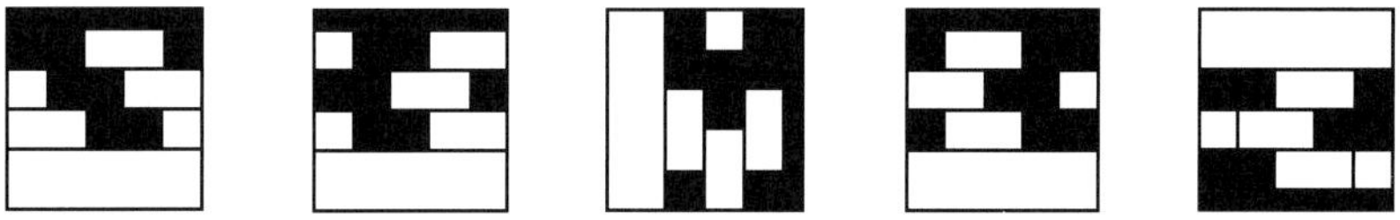

a   b   c   d   e

10

a   b   c   d   e

Total

Which is the odd one out?

Example

Which picture completes the second pair in the same way as the first pair?

Example

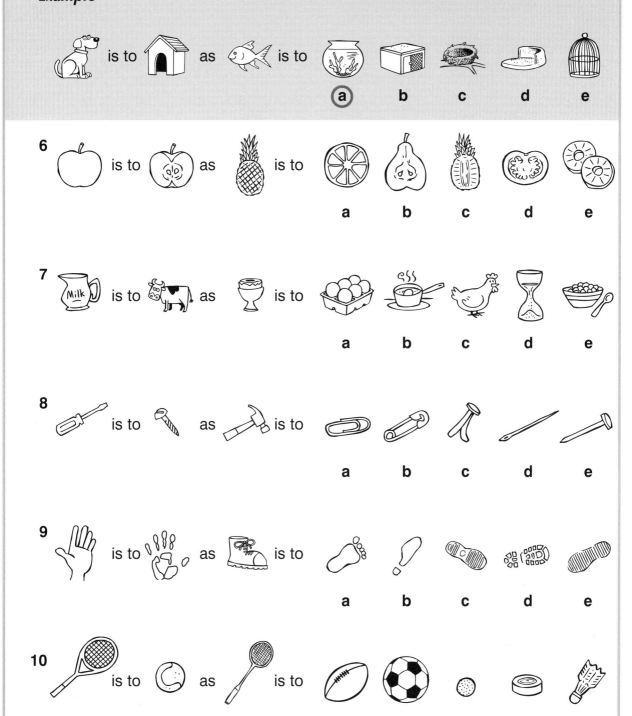

Total

Test time: 0   5   10 minutes

Which one comes next?

Example

a   b   c   d   e

1

a   b   c   d

2

a   b   c   d

3

a   b   c   d

4

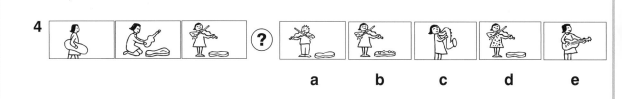

a   b   c   d   e

5

a   b   c   d   e

Which shape or pattern comes next?

6

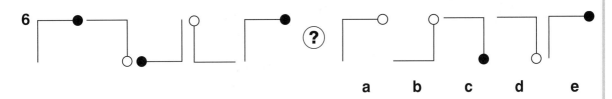

          a   b   c   d   e

7

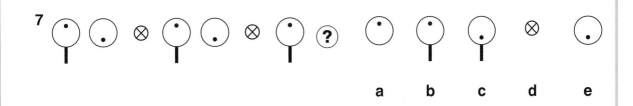

          a   b   c   d   e

8

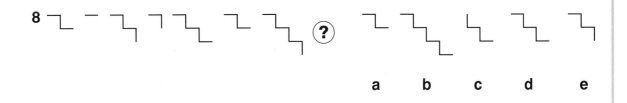

          a   b   c   d   e

9

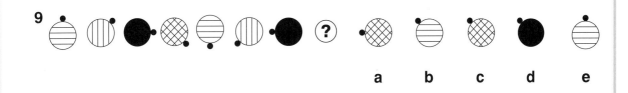

          a   b   c   d   e

10

          a   b   c   d   e

Which is the odd one out?

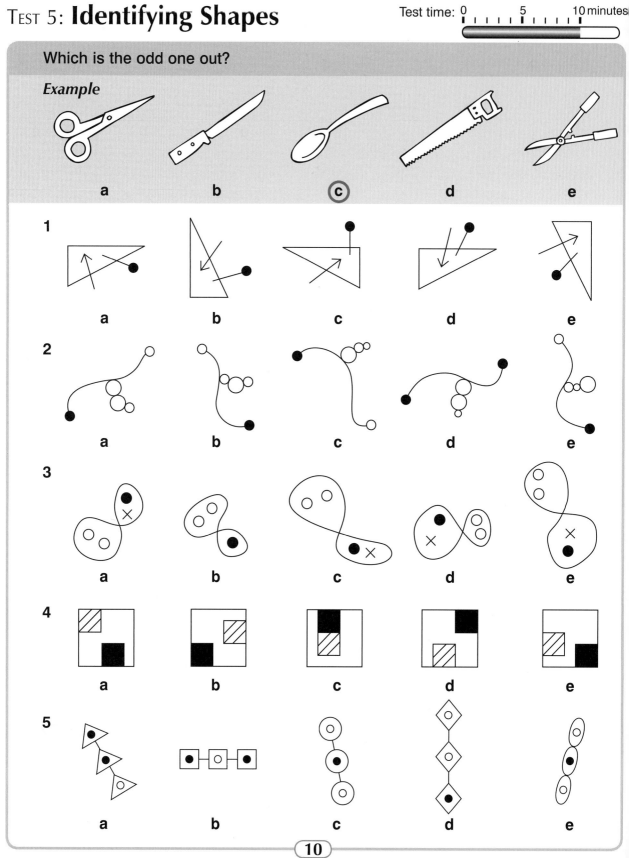

Example

a   b   ⓒ   d   e

1

a   b   c   d   e

2

a   b   c   d   e

3

a   b   c   d   e

4

a   b   c   d   e

5

a   b   c   d   e

Which picture completes the second pair in the same way as the first pair?

Example

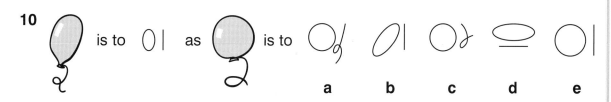

is to 🏠 as 🐟 is to 🐠
   (a)   b   c   d   e

6 is to as is to
         a   b   c   d   e

7 is to as is to
         a   b   c   d   e

8 is to as is to
         a   b   c   d   e

9 is to as is to
         a   b   c   d   e

10 is to as is to
         a   b   c   d   e

Total

TEST 6: **Missing Shapes**

In which larger picture or shape is the smaller picture hidden?

Example

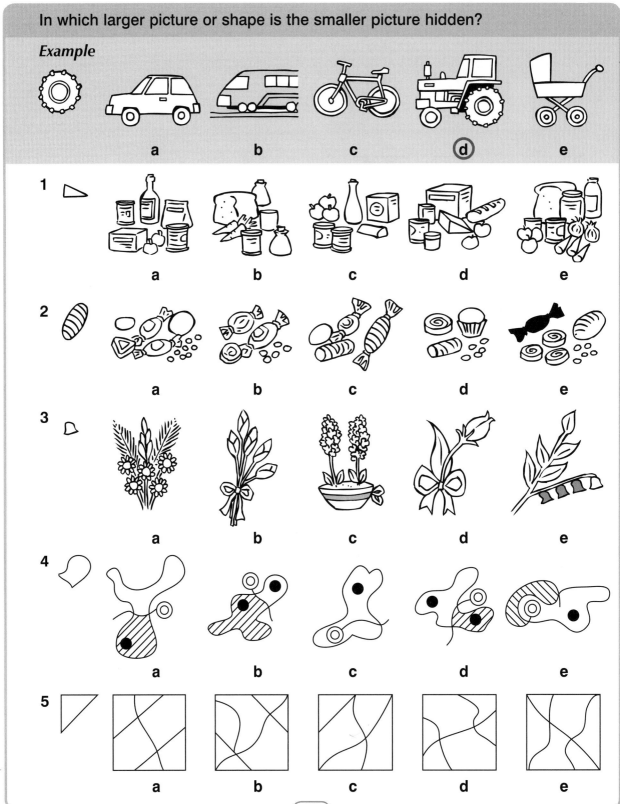

Which shape or picture completes the larger square?

Example

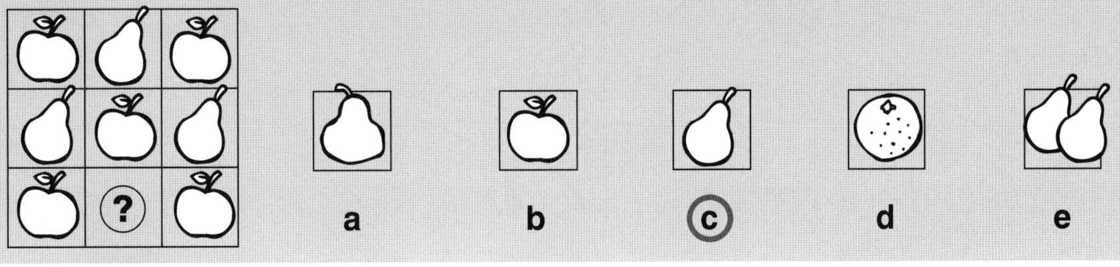

a   b   ⓒ   d   e

6

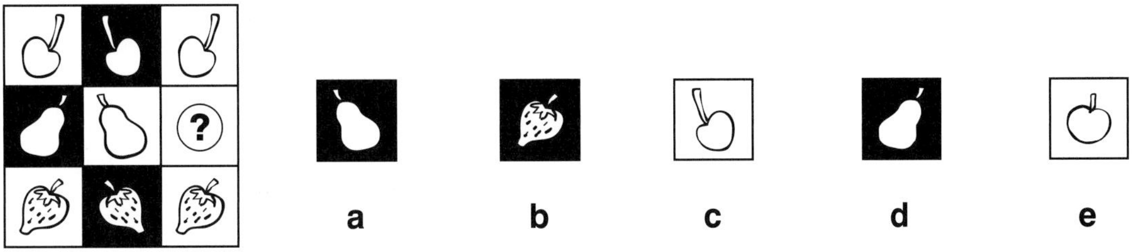

a   b   c   d   e

7

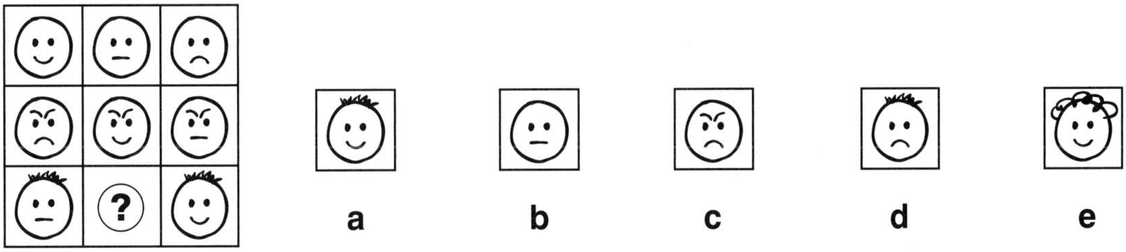

a   b   c   d   e

8

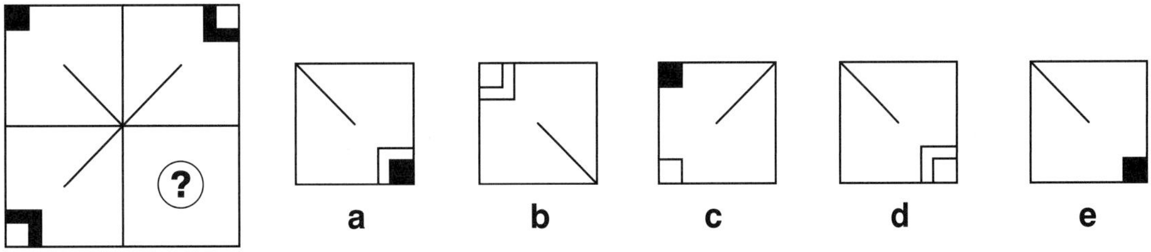

a   b   c   d   e

9

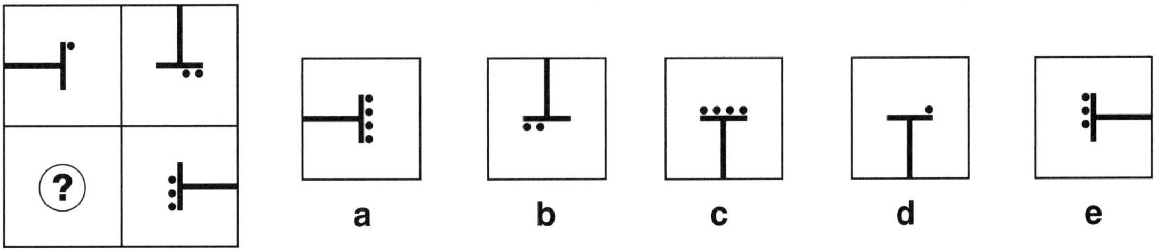

a   b   c   d   e

10

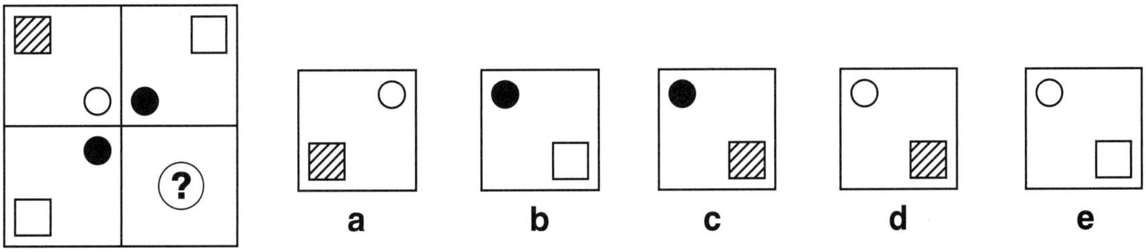

a   b   c   d   e

Total

Which is the odd one out?

Example

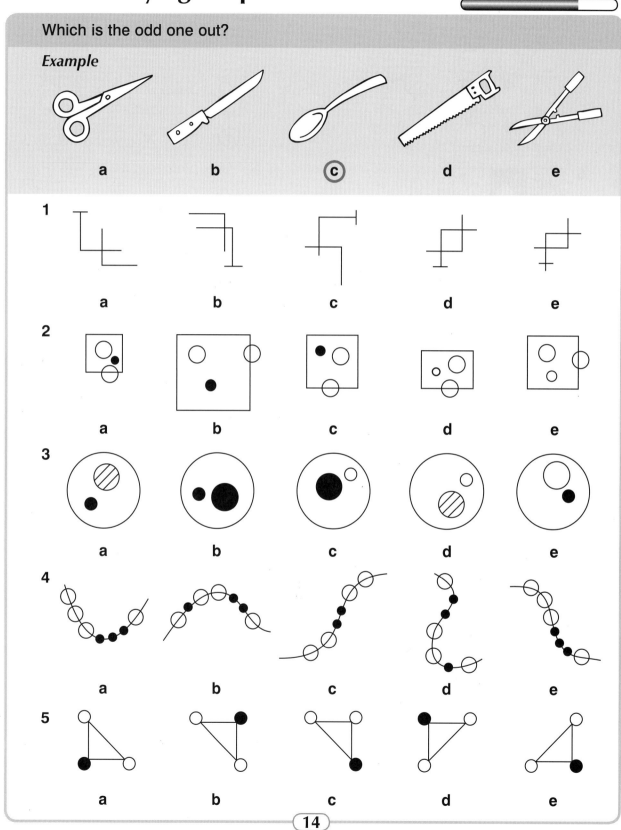

14

Which picture completes the second pair in the same way as the first pair?

Example

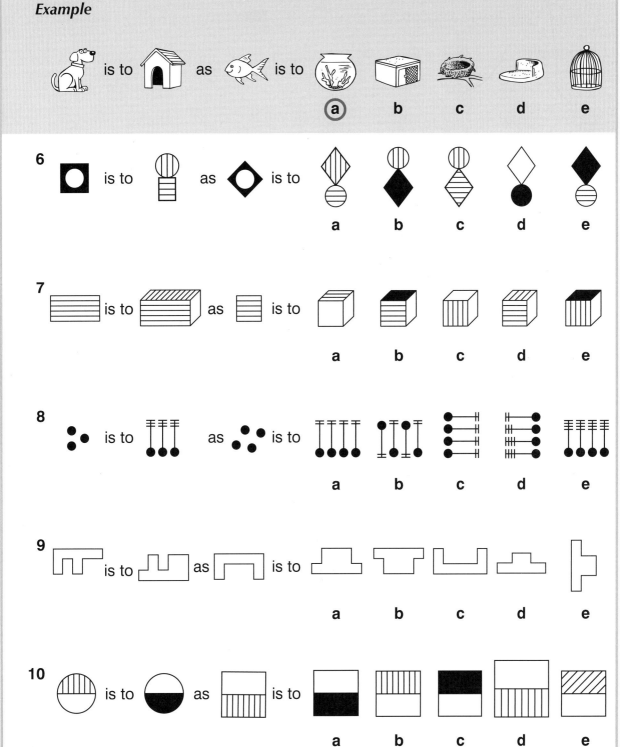

6

7

8

9

10

Total

Test time: 0 — 5 — 10 minutes

Which picture on the right is the reflection of the picture given on the left?

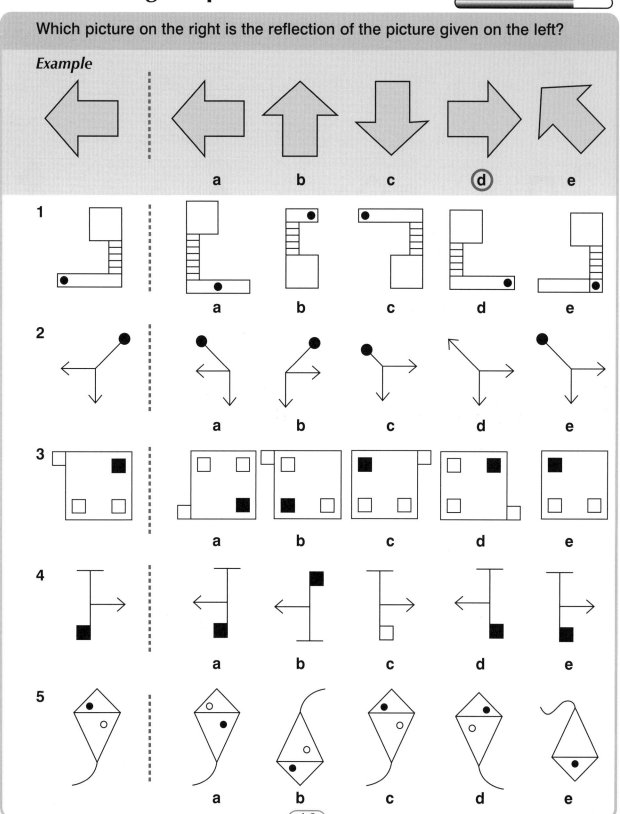

Example

a   b   c   (d)   e

1   a   b   c   d   e

2   a   b   c   d   e

3   a   b   c   d   e

4   a   b   c   d   e

5   a   b   c   d   e

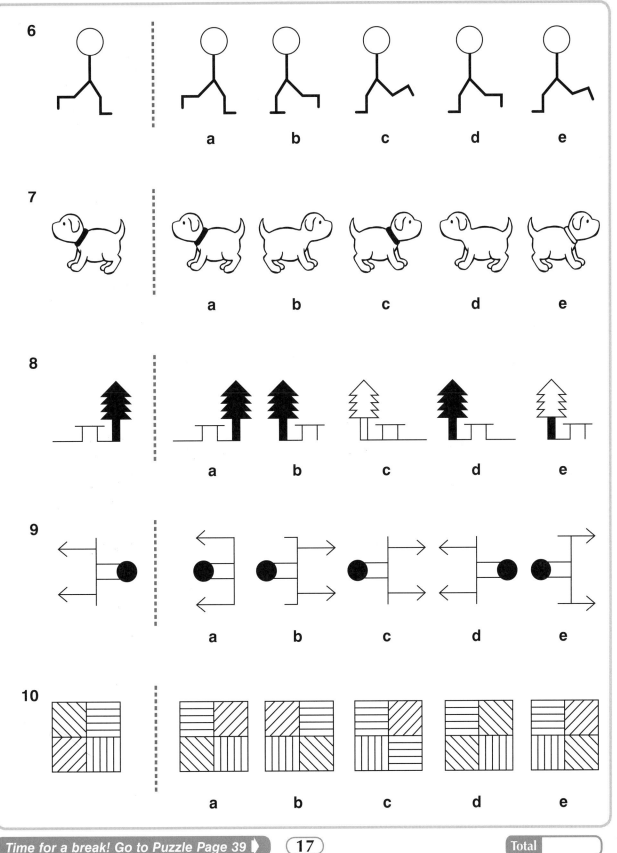

Test time: 0 | | | | | 5 | | | | 10 minutes

Which code matches the shape or pattern given at the end of each line?

Example

AX   AY   BZ   CY   BX   (?)

BZ AZ CX BY CZ
a   b   c   d   (e)

1

XB   YA   ZC   YB   XC   (?)

ZB YA XA XC ZA
a   b   c   d   e

2

CY   BX   AZ   AX   CZ   (?)

BZ AY CX BY BX
a   b   c   d   e

3

AZ   CY   BX   CX   AZ   (?)

BZ CZ AX AY CX
a   b   c   d   e

4

AX   AY   BY   DZ   (?)

BX DY CY AZ CX
a   b   c   d   e

5

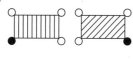

LX   MY   LZ   OZ   NX   (?)

OX LY NY MZ OY
a   b   c   d   e

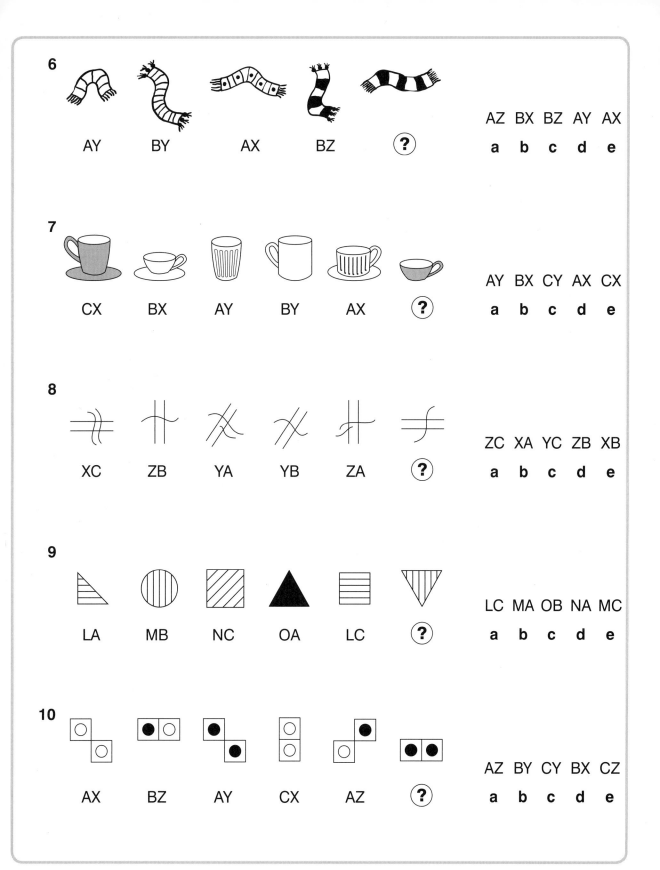

6

AY   BY   AX   BZ   (?)

AZ BX BZ AY AX
a   b   c   d   e

7

CX   BX   AY   BY   AX   (?)

AY BX CY AX CX
a   b   c   d   e

8

XC   ZB   YA   YB   ZA   (?)

ZC XA YC ZB XB
a   b   c   d   e

9

LA   MB   NC   OA   LC   (?)

LC MA OB NA MC
a   b   c   d   e

10

AX   BZ   AY   CX   AZ   (?)

AZ BY CY BX CZ
a   b   c   d   e

Total

Which picture completes the second pair in the same way as the first pair?

1

a   b   c   d   e

2

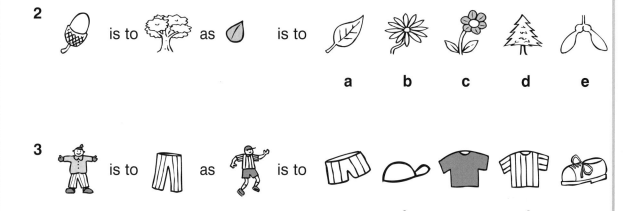

a   b   c   d   e

3

a   b   c   d   e

4

a   b   c   d   e

Which picture on the right is the reflection of the picture given on the left?

5

a   b   c   d   e

6

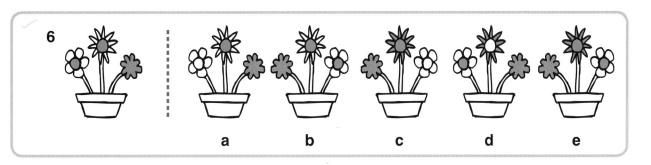

| | a | b | c | d | e |

7

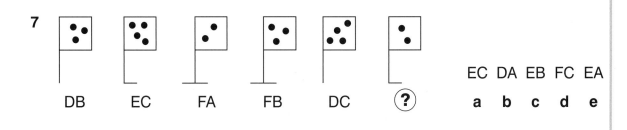

DB EC FA FB DC **?**

EC DA EB FC EA
a   b   c   d   e

8

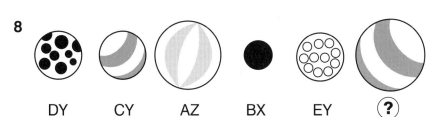

DY CY AZ BX EY **?**

EX BZ AY CZ CX
a   b   c   d   e

9

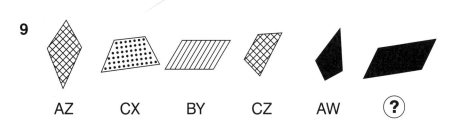

AZ CX BY CZ AW **?**

AX BZ BW CW AY
a   b   c   d   e

10

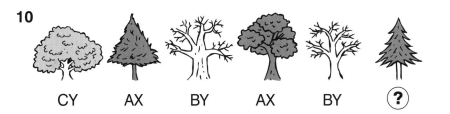

CY AX BY AX BY **?**

AX CY BX CX AY
a   b   c   d   e

Total

Which is the odd one out?

1

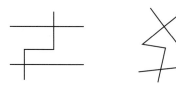

    a   b   c   d   e

2

    a   b   c   d   e

3

    a   b   c   d   e

4

    a   b   c   d   e

Which one comes next?

5

          a   b   c   d   e

Answers

TEST 1: Identifying Shapes

1 d
2 d
3 b
4 c
5 b
6 a
7 e
8 c
9 e
10 d

TEST 2: Missing Shapes

1 d
2 e
3 e
4 d
5 c
6 d
7 b
8 d
9 d
10 a

TEST 3: Identifying Shapes

1 d
2 d
3 c
4 e
5 d
6 c
7 c
8 e
9 d
10 e

TEST 4: Missing Shapes

1 a
2 b
3 d
4 b
5 e
6 d
7 e
8 e
9 c
10 d

TEST 5: Identifying Shapes

1 c
2 d
3 b
4 c
5 e
6 b
7 d
8 c
9 e
10 e

TEST 6: Missing Shapes

1 d
2 c
3 e
4 b
5 c
6 d
7 d
8 e
9 c
10 d

TEST 7: Identifying Shapes

1 e
2 d
3 b
4 c
5 c
6 c
7 d
8 e
9 a
10 c

TEST 8: Rotating Shapes

1 d
2 e
3 c
4 d
5 d
6 d
7 c
8 d
9 c
10 e

TEST 9: Coded Shapes and Logic

1 e
2 d
3 c
4 c
5 e
6 a
7 c
8 e
9 b
10 b

Answers

Test 10: **Mixed**
1 d
2 c
3 d
4 e
5 c
6 b
7 e
8 d
9 c
10 e

Test 13: **Mixed**
1 d
2 e
3 a
4 c
5 d
6 e
7 d
8 d
9 e
10 b

Test 16: **Mixed**
1 e
2 b
3 d
4 b
5 d
6 e
7 d
8 e
9 c
10 c

Test 11: **Mixed**
1 e
2 d
3 b
4 e
5 c
6 d
7 d
8 d
9 d
10 e

Test 14: **Mixed**
1 d
2 e
3 b
4 c
5 d
6 a
7 b
8 e
9 c
10 d

Test 17: **Mixed**
1 c
2 c
3 e
4 d
5 e
6 d
7 e
8 c
9 e
10 b

Test 12: **Mixed**
1 e
2 b
3 c
4 e
5 d
6 c
7 d
8 c
9 a
10 c

Test 15: **Mixed**
1 c
2 d
3 c
4 a
5 c
6 d
7 d
8 d
9 e
10 c

Test 18: **Mixed**
1 e
2 c
3 d
4 e
5 d
6 e
7 c
8 e
9 d
10 e

Answers

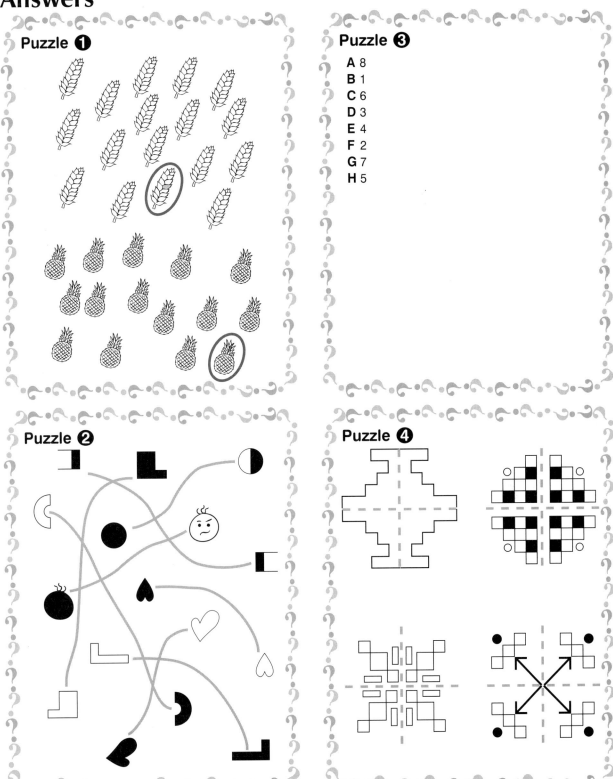

Puzzle ❶

Puzzle ❸

A 8
B 1
C 6
D 3
E 4
F 2
G 7
H 5

Puzzle ❷

Puzzle ❹

Answers

Puzzle ⑤

6

a   b   c   d   e

7

a   b   c   d   e

Which picture on the right is the reflection of the picture given on the left?

8

a   b   c   d   e

9

a   b   c   d   e

10

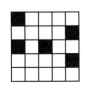

a   b   c   d   e

Total

Which shape or pattern completes the second pair in the same way as the first pair?

1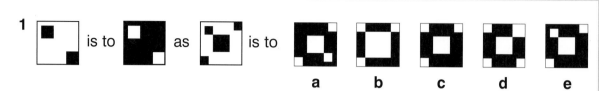

2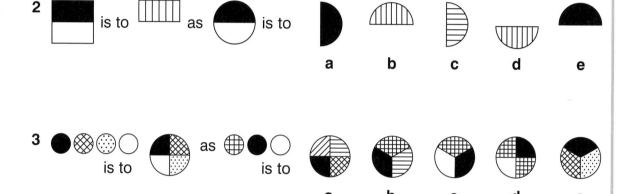

3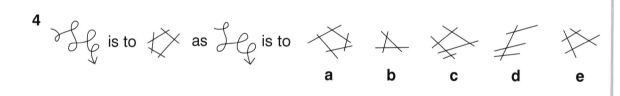

4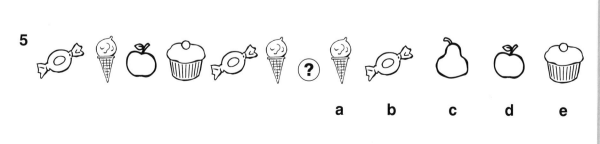

Which one comes next?

5

a   b   c   d   e

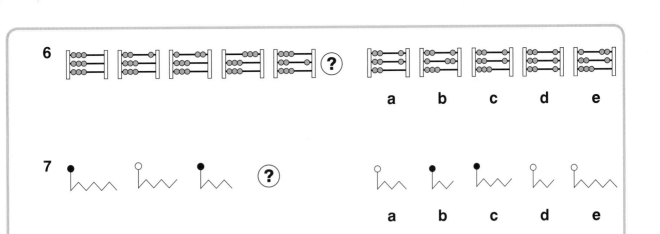

In which larger shape is the smaller shape hidden?

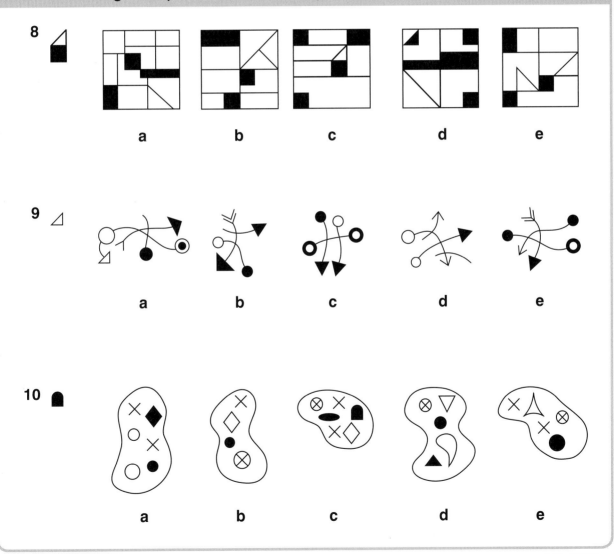

Test time: 0 | | | | | 5 | | | | | 10 minutes

Which shape or pattern completes the second pair in the same way as the first pair?

1 is to as is to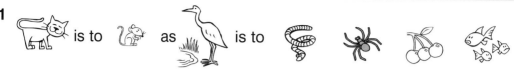

                                              a   b   c   d   e

2 is to  as ... is to

                                                a   b   c   d   e

3 is to as  is to

                                                a   b   c   d   e

Which one comes next?

4

                                                a   b   c   d   e

5

                                                a   b   c   d   e

6

| | a | b | c | d | e |

7

| | a | b | c | d | e |

Which code matches the shape or pattern given at the end of each line?

8

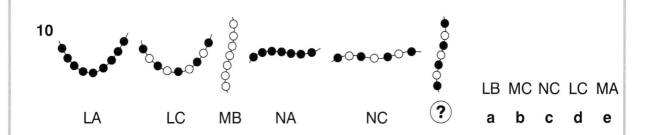

AW BE AN CS CE **?**

AS CN BW BN AE
a b c d e

9

MA MC ND MB NA NC **?**

MC ND NA NC MD
a b c d e

10

LA LC MB NA NC **?**

LB MC NC LC MA
a b c d e

Total

Which is the odd one out?

1

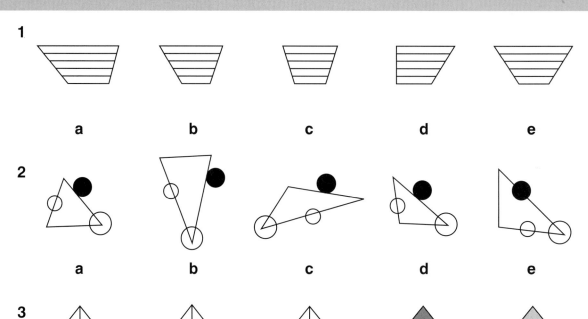

a   b   c   d   e

2

a   b   c   d   e

3

a   b   c   d   e

Which one comes next?

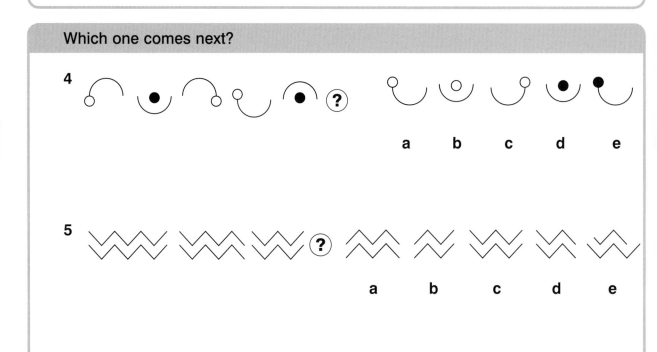

4

a   b   c   d   e

5

a   b   c   d   e

28

6

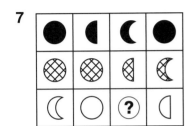  ?

        a   b   c   d   e

Which shape or picture completes the larger square?

7

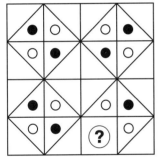

    a   b   c   d   e

8

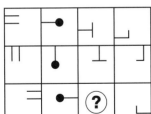

    a   b   c   d   e

9

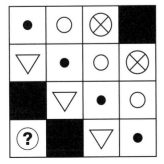

    a   b   c   d   e

10

Total [   ]

Which shape or pattern completes the second pair in the same way as the first pair?

1

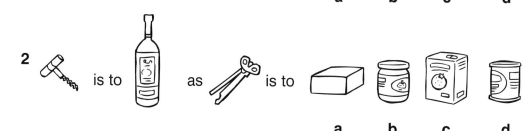

a   b   c   d   e

2

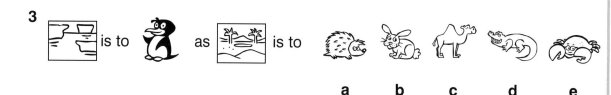

a   b   c   d   e

3

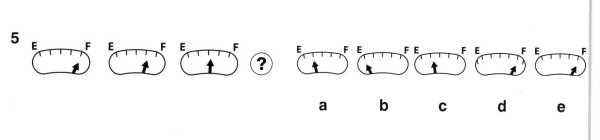

a   b   c   d   e

Which one comes next?

4

a   b   c   d   e

5

a   b   c   d   e

In which larger shape is the smaller shape hidden?

6

a   b   c   d   e

7

a   b   c   d   e

Which picture on the right is the reflection of the picture given on the left?

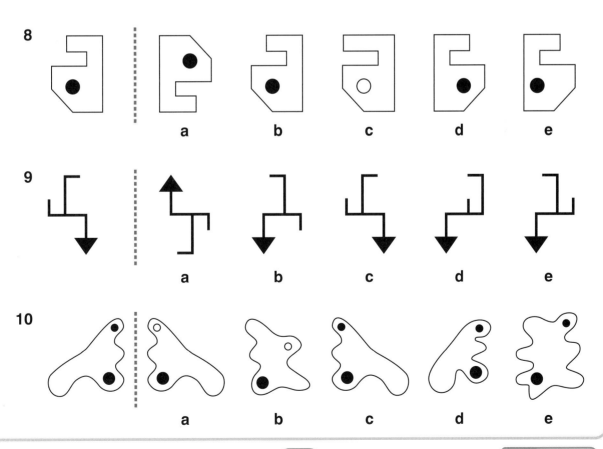

8

a   b   c   d   e

9

a   b   c   d   e

10

a   b   c   d   e

Total

Which is the odd one out?

1

    a   b   c   d   e

2

    a   b   c   d   e

3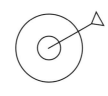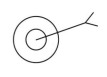

    a   b   c   d   e

Which shape or pattern completes the second pair in the same way as the first pair?

4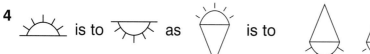

                                          a   b   c   d   e

5

                                          a   b   c   d   e

6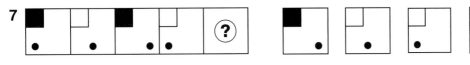

Which one comes next?

7

                  a   b   c   d   e

8

                  a   b   c   d   e

Which picture on the right is the reflection of the picture given on the left?

9

                  a   b   c   d   e

10

                  a   b   c   d   e

Test time: 0 5 10 minutes

Which shape or pattern completes the second pair in the same way as the first pair?

1

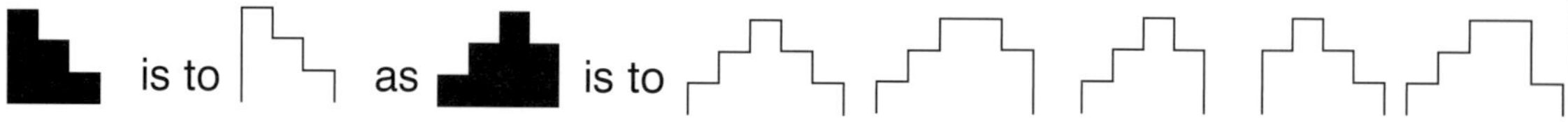
is to
as
is to

a b c d e

2

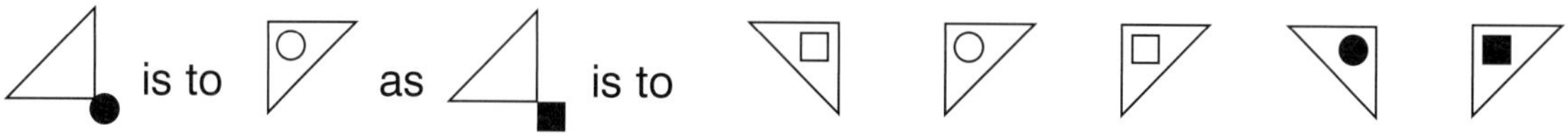
is to
as
is to

a b c d e

3

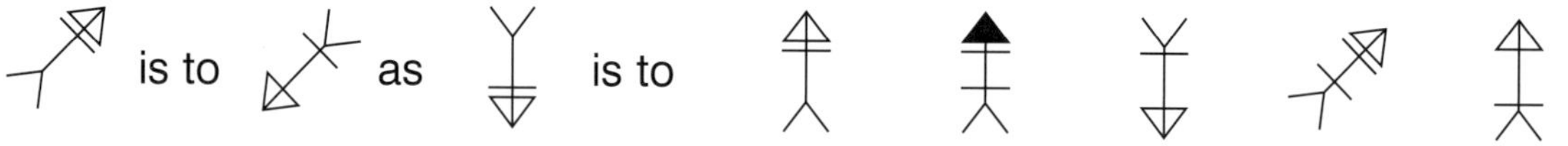
is to
as
is to

a b c d e

Which one comes next?

4

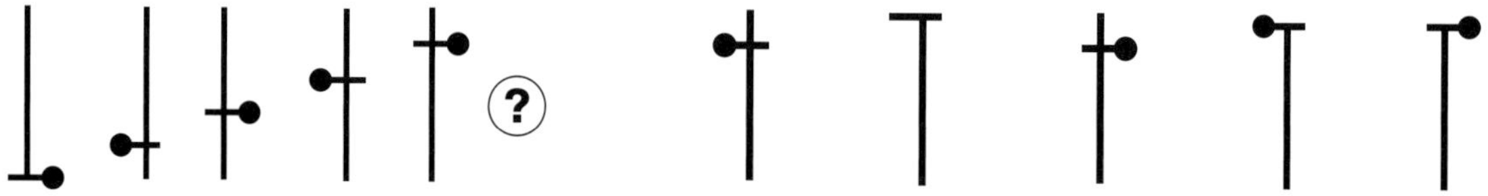
?

a b c d e

5

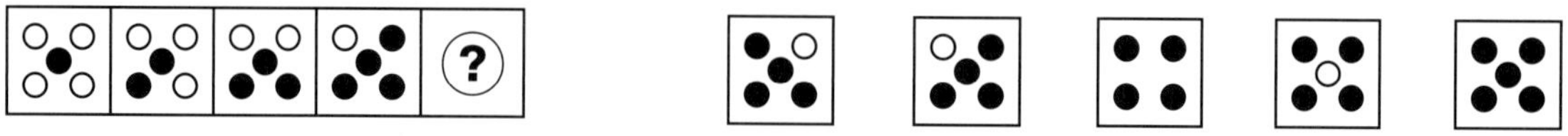
?

a b c d e

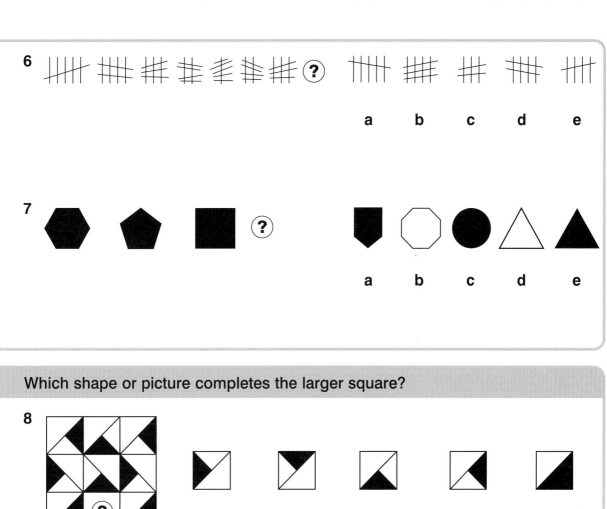

6

a b c d e

7

a b c d e

Which shape or picture completes the larger square?

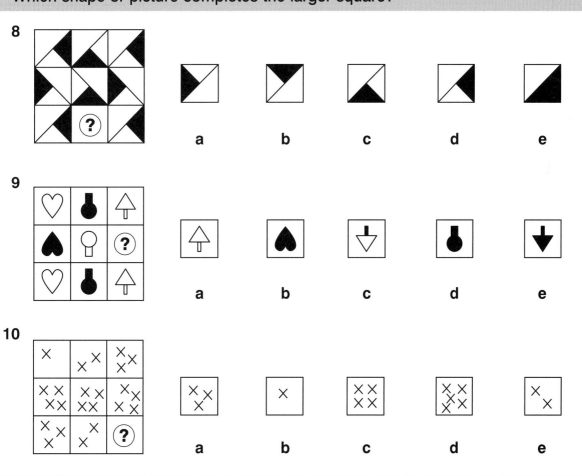

8

a b c d e

9

a b c d e

10

a b c d e

Total

Test time: 0 _____ 5 _____ 10 minutes

Which one comes next?

1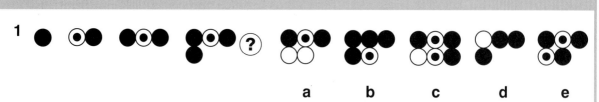

a b c d e

2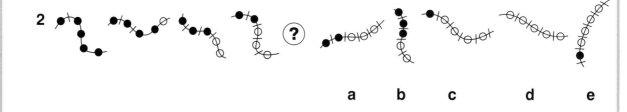

a b c d e

3

a b c d e

4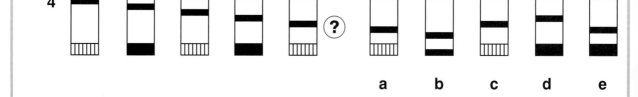

a b c d e

Which shape or picture completes the larger square?

5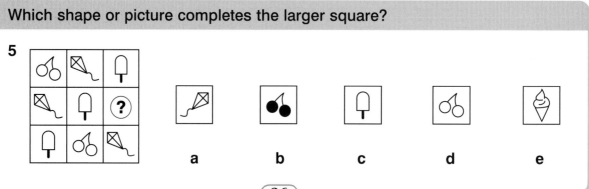

a b c d e

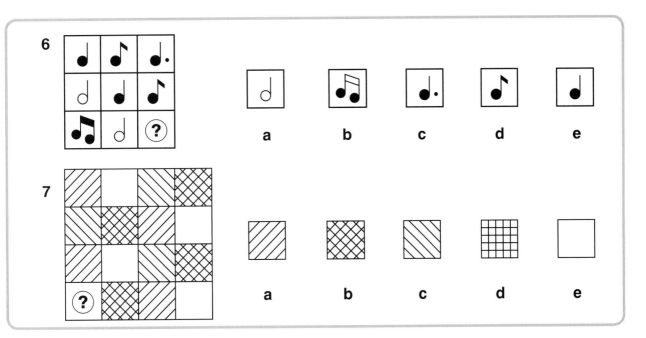

6

a b c d e

7

a b c d e

Which code matches the shape or pattern given at the end of each line?

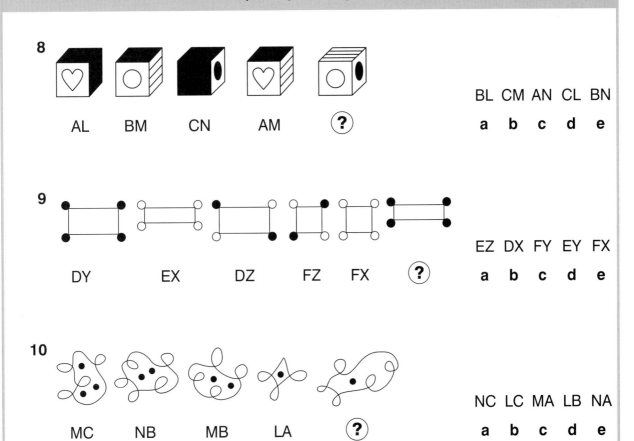

8

AL   BM   CN   AM   (?)

BL CM AN CL BN
a b c d e

9

DY   EX   DZ   FZ   FX   (?)

EZ DX FY EY FX
a b c d e

10

MC   NB   MB   LA   (?)

NC LC MA LB NA
a b c d e

Time for a break! Go to Puzzle Page 42 ▶ (37)   Total

Puzzle ①

Draw a circle around the object that is different from the others.

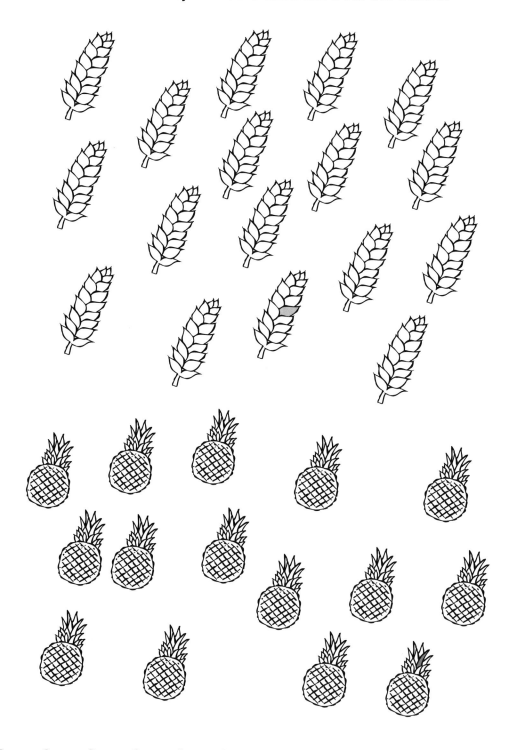

Puzzle ❷

Match the pattern to the shadow of its mirror image.

Puzzle ❸

Match the missing squares to the letters given below.

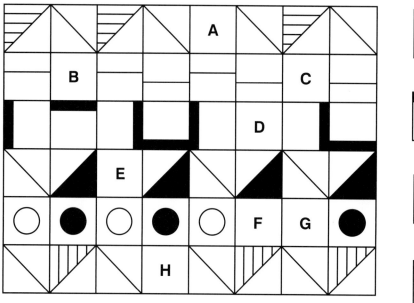

A _____   E _____

B _____   F _____

C _____   G _____

D _____   H _____

Puzzle ❹

Complete these patterns.

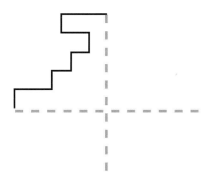

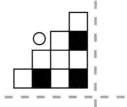

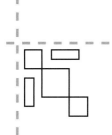

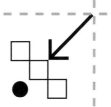

Puzzle ⑤

Can you find this shape hidden in the picture?

Progress Grid

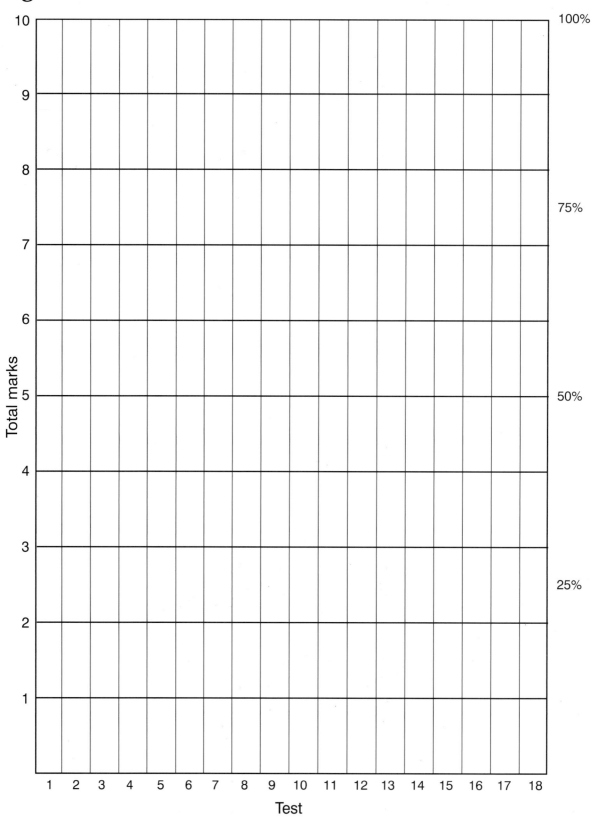

Total marks

Test